COMING IN

Ce roman graphique prolonge le podcast *Coming In*
produit par ARTE Radio
Réalisation : Élodie Font et Arnaud Forest
Responsable éditorial : Silvain Gire

À retrouver dans le podcast *Profils*
https://www.arteradio.com/son/61658766/coming
et sur toutes les plateformes de podcast

Retrouvez l'ensemble des parutions des Éditions Payot & Rivages
sur www.payot-rivages.fr et le catalogue d'ARTE Éditions
sur www.boutique.arte.tv/selection/livres

ÉLODIE FONT • CAROLE MAUREL

COMING IN·

PAYOT GRAPHIC   **arte**EDITIONS

« On ne change pas, on met juste
les costumes d'autres, et voilà. »
Céline D.

« Je n'ai qu'une philosophie :
être acceptée comme je suis. »
Amel B.

Pour toi, Pénélope, évidemment.

6

C'EST ÇA, ALLEZ, PENSEZ CE QUE VOUS VOULEZ, ÇA M'INTÉRESSE PAS.

ELLES ME FAISAIENT FACE COMME DANS UN TRIBUNAL...

ET OUVREZ CETTE PUTAIN DE PORTE.

... LE TRIBUNAL DE MA SEXUALITÉ.

PAS TANT QUE TU SERAS PAS SORTIE DU PLACARD !

C'EST POUR TON BIEN, HEIN ! NOUS, ON VEUT JUSTE TE FAIRE GAGNER DU TEMPS.

TU DEVRAIS ÊTRE CONTENTE, MAËLLE S'EST LANCÉ LE DÉFI DE TE CHOPER !

UN DÉFI, VRAIMENT ?

MAIS NON, ELLES PLAISANTENT...

VOUS AVEZ QUE ÇA À FOUTRE ?

* « GAYDAR » : SOI-DISANT CAPACITÉ INTUITIVE À DEVINER L'ORIENTATION SEXUELLE DE QUELQU'UN. OUI, C'EST ÇA : UN RADAR À GAYS.

J'AI TOUJOURS RÊVÉ DE VIVRE DANS UNE COMÉDIE ROMANTIQUE.
DANS MON LIT, DANS LA RUE, DANS LES TRANSPORTS... JE ME PROJETTE
DANS UNE VIE PARFAITE ET ENSOLEILLÉE : DES MOMENTS NUTELLA,
UNE FAMILLE RICORÉ ET, SI POSSIBLE, HUGH GRANT QUI CHANGE LE BÉBÉ.

HétéroLand

CE N'ÉTAIT PAS LA PREMIÈRE FOIS QUE L'ON INTERROGEAIT MA SEXUALITÉ.

EN TOUT, IL Y EN A EU 23. VINGT-TROIS PERSONNES DIFFÉRENTES, UNIQUEMENT DES FEMMES. TOUTES PLUS OU MOINS ALCOOLISÉES.

TOUTES ABSOLUMENT CERTAINES QUE J'ÉTAIS HOMO. COMME SI C'ÉTAIT UNE ÉVIDENCE, COMME SI J'ÉTAIS PASSÉE À CÔTÉ DE LA RÉALITÉ.

SANS COMPTER TOUS CEUX QUI ONT PROPAGÉ LA RUMEUR, AU COLLÈGE. TOUS CEUX QUI L'ONT PENSÉ SANS OSER ME CONFRONTER, AU LYCÉE...

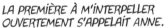

MAIS SI, TU L'
T'AIMES LES FILL
T'ES HOMO ?!
E ! AVOUE !

LA PREMIÈRE À M'INTERPELLER OUVERTEMENT S'APPELAIT ANNE.

GRANDE, IMPOSANTE, LES CHEVEUX NOIRS, COUPÉS COURT.

UNE SEMAINE, AU BAFA, ENTRE DEUX COMPTINES POUR ENFANTS, QUAND JE CROYAIS ENCORE QUE J'ALLAIS ANIMER DES CENTRES AÉRÉS TOUS LES ÉTÉS (PAS EXACTEMENT LE MEILLEUR INVESTISSEMENT DE MA VIE). ELLE A DIT :

TU ME CHAMBOULES.

UN JOUR, TU RENCONTRERAS TON IDENTITÉ SEXUELLE.

ELLE PARLAIT COMME UN LIVRE OBSCUR.

ENCORE AUJOURD'HUI, C'EST ASSEZ MYSTÉRIEUX :
QU'EST-CE QUE JE DÉGAGEAIS POUR QUE LE MOT
« LESBIENNE » SOIT SCOTCHÉ SUR MON FRONT ?

EST-CE QUE C'ÉTAIT
PARCE QUE JE JOUAIS —
MAL — AU FOOT ?
(J'AI UN RATIO DE 34 BUTS
MANQUÉS POUR UN MARQUÉ ;
J'AI FINI GOAL.)

PARCE QUE JE N'AIMAIS
QUE LA COMPAGNIE DE MES
AMIES FILLES ET QU'AVEC
CERTAINES J'ENTRETENAIS
UNE AMITIÉ FUSIONNELLE ?

OU PARCE QUE JE N'AI
JAMAIS SUPPORTÉ D'AVOIR
LES ONGLES LONGS ?

LA PREMIÈRE FOIS OÙ
MOI, J'AI RESSENTI UN
MALAISE, JE FLIRTAIS
AVEC MES 15 ANS.

PRINTEMPS 2000, RENNES.

RÉPONDEZ À LA QUESTION SUR LE 3615 CODE FRANCE 2 OU DANS TÉLÉ Z... « Z » COMME Z'AI PÊCHÉ

HAHA HAHA !

ET C'EST L'HEUUUUURE DU SHAMPOOING AUX ŒUFS POUR PATRICK... ON L'ENCOURAGE !

IL A PERDU, IL A PERDU, IL A PERDU !

MRRRRo

PAPI DORT, REMETS-NOUS LA 1.

ZAP

?

RRRFLLL'R

SAVEZ-VOUS OÙ EST PARTIE ROMANE ?

JE L'AI VUE S'ENFUIR VERS LA FORÊT, MAIS SI VOUS VOUS DÉPÊCHEZ, VOUS POUVEZ ENCORE LA RATTRAPER !

C'EST QUOI CE FILM ?

DAME, JE N'SAIS PAS... D'HABITUDE, C'EST... TU SAIS... LE COMMISSAIRE, LÀ... AVEC SA PIPE !

ROMANE ! ENFIN ! JE TE CHERCHE DEPUIS SI LONGTEMPS !

AH ELLE, ELLE EST CONNUE, NON ?

JE NE ME SOUVIENS ÉTRANGEMENT NI DU TÉLÉFILM...

... NI DE L'ACTRICE.

MAIS J'AI EN MÉMOIRE L'IMPACT, IMMÉDIAT, DANS MA POITRINE.

J'VAIS ME COUCHER, À DEMAIN !

BONNE NUIT !

'NUIT.

C'EST DÉJÀ FINI LE JEU ?

OUI, OUI !

C'ÉTAIT LA PREMIÈRE FOIS QUE C'ÉTAIT LÀ, DIFFUS, VAGUEMENT GÊNANT.

L'IMPRESSION QUE QUELQUE CHOSE, EN MOI, S'ÉTAIT DÉPLACÉ.

COMPRENDRE SANS COMPRENDRE
QU'IL NE « FALLAIT PAS » L'ÉPROUVER,
NI MAINTENANT, NI PLUS TARD.
QUE C'ÉTAIT TROP DANGEREUX.

JE NE ME SUIS PAS
AUTORISÉE À LE
RESSENTIR.

MON CORPS ET MON ESPRIT
ONT IMMÉDIATEMENT
CHERCHÉ À ÉTOUFFER
CE SENTIMENT NAISSANT.

JE NE ME SUIS MÊME
PAS AUTORISÉE À L'ÉCRIRE.
DANS MON JOURNAL. AUCUNE
TRACE DE CETTE NUIT-LÀ.

PENDANT LONGTEMPS
J'AI MANQUÉ DE MOTS.

MAI 2003, MAYENNE*.

J'AI TROP VU COMMENT JU TE MATAIT, EN COURS, C'ÉTAIT ABUSÉ...

AH BON ?

MAIS OUI ! MÊME NICO M'A DIT QUE JULIEN LUI AVAIT DIT QU'IL VOULAIT PEUT-ÊTRE SORTIR AVEC TOI.

*MAYENNE : JE VOUS AIDE, C'EST UNE PETITE VILLE ENTRE RENNES ET LE MANS. SOUS-PRÉFECTURE DU DÉPARTEMENT DU MÊME NOM, CONNUE (ENTRE AUTRES) POUR AVOIR HÉBERGÉ LE PREMIER CAS DE FIÈVRE APHTEUSE EN 2000. CONSÉQUENCE TRAUMATISANTE : L'ANNULATION DE NOTRE VOYAGE SCOLAIRE PAR PEUR DE PROPAGATION DU VIRUS. (LA MAYENNE, TERRE DE PRÉCURSEURS.)

PUTAIN !

PUTAIN, ON A EU UN CONTRÔLE SURPRISE EN PHYSIQUE, J'AI RIEN CAPTÉ !

JE COMPRENDS MÊME PAS COMMENT LA PHYSIQUE PEUT ÊTRE UNE VRAIE MATIÈRE. ÇA SERT À QUOI, APRÈS, DANS LA VIE ?

ALORS QUE LE PHYSIQUE, T'AIMERAIS BIEN !

HAH HA HA HAH HA HA

DEPUIS MES 9 ANS ET DEMI – TRÈS IMPORTANT LE « ET DEMI » À CET ÂGE-LÀ –, J'ÉCRIS UN JOURNAL. AU COLLÈGE, JE LE DONNAIS À LIRE À MA MEILLEURE AMIE, QUI ME LE RENDAIT ANNOTÉ DE SES COMMENTAIRES, CE QUE J'ATTENDAIS TOUJOURS AVEC IMPATIENCE ET ANGOISSE. COMME SI JE RESSENTAIS LE BESOIN QUE MES ÉTATS D'ÂME SOIENT « VALIDÉS ».

Riiiiiiiiiiiiiing

DÉJÀ ?! NON MAIS EN PLUS, LE GARS NOUS FAIT SORTIR HYPER TARD ! ÇA ME SAOULE !

ON A QUOI LÀ ?

ÉCO, J'CROIS !

VOUS FAITES QUOI CE SOIR ? ON VA AU PUB ?

JU M'A DIT QU'IL Y SERAIT !

JE SUIS ALLÉE FOUILLER DANS MA PILE DE JOURNAUX PLUS OU MOINS INTIMES. À AUCUN MOMENT, AU LYCÉE, JE N'ÉCRIS LE MOT « HOMOSEXUALITÉ ». AVAIS-JE SEULEMENT DÉJÀ RENCONTRÉ DES LESBIENNES ? DE TOUTE FAÇON, POUR NOUS, POUR MOI, L'AMOUR AVEC UN GRAND A, C'ÉTAIT ÉVIDEMMENT UNE FILLE AVEC UN GARÇON. UN PAPA, UNE MAMAN, AVANT L'HEURE. LA NORME, RIEN QUE LA NORME.

LA SEULE TRACE ÉCRITE D'UNE DIFFÉRENCE, JE L'AI RETROUVÉE DANS CE CARNET DE MA TERMINALE.

Mon interrogation est profonde.
Je recherche toujours une protection parmi mes amies.
Mais le plus surprenant, c'est lorsque mes sentiments grossissent envers quelqu'un – une fille – qui m'est inconnue. Une actrice, une fille dans la rue, n'importe qui...

C'est curieux comme alors j'envie cette personne que je ne connaîtrai jamais. Généralement, j'y repense trois ou quatre fois, et cela s'atténue. Il y a des fois où, franchement, je suis incompréhensible.

C'ÉTAIT LÀ, EN MOI, MAIS J'AI LAISSÉ CETTE INTERROGATION LÀ OÙ ELLE SE NOUAIT : DANS LES PROFONDEURS.

PLUS LES ANNÉES PASSAIENT, PLUS NOUS ÉTIONS CONCENTRÉES SUR LE MÊME OBJECTIF : COUCHER AVEC UN MEC.

SALUT LES FILLES, ÇA VA ?

SALUT PHILIPPE !

UNE AMIE M'AVAIT CONFIÉ QUE MIEUX LES GARÇONS DANSAIENT, MEILLEURS ILS ÉTAIENT AU LIT.

ALORS LES FILLES, QU'EST-CE QUE JE VOUS SERS ?

UN DBK*, S'TE PLAÎT !

POUR MOI, UNE PINTE !

T'AS DU PASSOA ?

*DIABOLO BANANE-KIWI. SI, SI.

UNE AUTRE AMIE AFFIRMAIT, SUR LE TON DU SECRET, QUE CEUX QUI MANGEAIENT PROPREMENT LEUR KEBAB ÉTAIENT, ET DE LOIN, LES MEILLEURS COUPS.

DING   DING

AUTANT DIRE QUE J'ÉTAIS PRÊTE À TROUVER L'HOMME IDÉAL.

PHILIPPE, TU PEUX NOUS METTRE MADONNA S'TE PLAÎT?

PLUS FOOOORT !

OUI, J'ÉTAIS PRÊTE.

ENCORE ? MAIS VOUS CONNAISSEZ PAS D'AUTRES MORCEAUX ?

SALUT !

HELLO !

SÉBASTIEN, ENCHANTÉ.

T'AIMES BIEN DANSER ?

PAS TROP ! ENFIN SI, MAIS J'SUIS PAS HYPER DOUÉE.

VIENS !

SUR CELLE-LÀ, TOUT LE MONDE PEUT DANSER !

TERRE BRÛLÉE... AU VENT... DES LANDES DE PIERRES...

AUTOUR DES LACS... C'EST POUR LES VIVANTS... UN PEU D'ENFER...

LE CONNEMARA.

BREF... NOUS NOUS SOMMES EMBRASSÉS.

27

QUELQUES MOIS PLUS TARD, LAVAL.

PETITE ÉLODIE, JE PARLE DE TOI, PARCE QU'AVEC TA PETITE VOIX, TES PETITES MANIES, TU AS VERSÉ SUR MA VIE DES MILLIERS DE ROSES...

TAP

TAP

Y A DES CIGALES DANS LA FOURMILIÈRE

SÉBASTIEN M'AVAIT ENREGISTRÉ UNE REPRISE DE CABREL SUR UN CD, QU'IL GLISSAIT PARFOIS DANS L'AUTORADIO DE SA VOITURE. IL ME RACCOMPAGNAIT JUSQU'À LA PORTE DU SOUS-SOL DE MES PARENTS, LE SAMEDI SOIR, ET ON SE ROULAIT DES PELLES DANS LE NOIR – JE COMPTAIS MÊME LES TOURS DE LANGUE.

TU... TU PEUX TE DÉSHABILLER ?

JE... JE SAIS PAS, J'AI UN PEU MAL AU VENTRE.

TU VEUX QUELQUE CHOSE ? JE DOIS AVOIR UN CACHET QUELQUE PART.

NON, NON, T'INQUIÈTE ! VIENS !

EMBRASSE-MOI.

OK.

ÇA VA, LÀ ?
JE TE FAIS PAS
MAL ?

NON, NON,
ÇA VA !

À CHAQUE FOIS QUE
JE M'ALLONGEAIS SUR
SON LIT, DES CRAMPES
PINÇAIENT VIOLEMMENT
MON VENTRE.
COMBIEN DE TEMPS
M'A-T-IL FALLU POUR
ME RENDRE COMPTE
QUE QUELQUE
CHOSE CLOCHAIT ?

T'ES SÛRE QUE J'TE FAIS PAS MAL ?

NON NON... VAS-Y !

JE VOULAIS QU'ON EN FINISSE, JE VOULAIS QU'ENFIN IL ME PÉNÈTRE, QU'ENFIN MOI AUSSI, JE PERDE MA VIRGINITÉ.

☑ PERMIS

☑ DIPLÔMES

☐ PERDRE MA VIRGINITÉ

☐ VOYAGE

J'Y ARRIVE PAS...

UNE FOIS, J'AI DÉCOUVERT UN PEU DE SANG DANS MA CULOTTE. LA PREUVE QUE NOUS AVIONS UNE VIE SEXUELLE ! NON ?

TU VEUX QU'ON RÉESSAIE ?

NON... J'AI TROP MAL AU VENTRE.

MAIS JE SAVAIS, AU FOND DE MOI, QUE NOUS N'ÉTIONS PAS ALLÉS « AU BOUT ».

C'EST PAS GRAVE, CE SERA POUR LA PROCHAINE FOIS.

MAIS LA FOIS D'APRÈS, NOUS REVIVIONS LES MÊMES MAUX DE VENTRE, LES MÊMES MALADRESSES, LES MÊMES GRIMACES. LA MÊME SCÈNE, DOULOUREUSE ET MAL JOUÉE, EN BOUCLE.

(J'EN AI UN PEU HONTE AUJOURD'HUI, MAIS À L'ÉPOQUE, JE NE CONCEVAIS PAS UN RAPPORT SEXUEL SANS PÉNÉTRATION.)

J'AVAIS SI PEU DE DÉSIR QU'UNE FOIS, IL M'A ACHETÉ DU LUBRIFIANT.
C'ÉTAIT FROID. AUSSI GLACÉ QUE MON VAGIN VERROUILLÉ,
DONT NI LUI NI MOI NE SEMBLIONS DÉTENIR LA CLÉ.

UNE AUTRE FOIS, IL M'A PROPOSÉ DU « SEXE ORAL »,
ET J'AI FAIT SEMBLANT DE NE PAS ENTENDRE.
J'AI RÉPRIMÉ, LE PLUS DISCRÈTEMENT POSSIBLE,
LE FRISSON QUI TRAVERSAIT MON CORPS.

Ce mec, il m'attire. Mais pas spécialement physiquement, c'est assez étrange comme sensation.

On a dormi ensemble samedi. Et je n'avais aucune envie d'aller plus loin. Aucune. Je ne sais pas ce que je dois faire.

Mon but, c'est de m'attacher à lui.

J'ai très peur de coucher
avec, ça va faire huit mois
mais ça me bloque.
Je ne ressens rien.

Je le regarde m'aimer.

T'ES **PAS NORMALE.**

FRIGIDE.

T'ES **BIZARRE.**

N'EMPÊCHE... SI JAMAIS VOUS AVEZ UN JOUR
BESOIN D'UNE EXCUSE POUR NE PAS COUCHER
AVEC QUELQU'UN, APPELEZ-MOI, J'AI DU STOCK.

J'ai mal au ventre

J'ai mal à la tête

J'ai une tendinite au poignet

J'ai mes règles

Je suis mal épilée

J'ai la mâchoire bloquée

J'ai la phobie des préservatifs

J'ai une mycose

J'ai vu un chat écrasé

Je préfère faire du canoë

Je dors mal quand je ne suis pas chez moi

Je ne peux pas rester, désolée

OU SINON, DITES JUSTE « NON »,
NORMALEMENT ÇA MARCHE AUSSI.

ALORS, QU'EST-CE QUI VOUS AMÈNE, MADEMOISELLE ?

EH BEN... J'AI UN COPAIN DEPUIS NEUF MOIS ET...

J'AI FINALEMENT EU UNE RÉVÉLATION : SI LES VOIES DE MON VAGIN SEMBLAIENT IMPÉNÉTRABLES, C'ÉTAIT FORCÉMENT QUE J'AVAIS UN PROBLÈME PHYSIOLOGIQUE. UNE MALFORMATION OU UNE MALADIE GÉNÉTIQUE QUI N'AVAIT PAS ENCORE ÉTÉ DÉTECTÉE.

ET VOUS VOULEZ PRENDRE LA PILULE !

OUI... ENFIN PEUT-ÊTRE... MAIS C'EST AUSSI QUE...

VOUS AVEZ DES RÈGLES DOULOUREUSES ?

NON. ENFIN, ÇA DÉPEND DES MOIS. MAIS C'EST PLUTÔT QUE...

QUE VOUS PENSEZ ÊTRE ENCEINTE ?!

NON ! JE VEUX JUSTE VÉRIFIER QUE...

QUE J'AI PAS DE PROBLÈME.

EH BAH ON VA REGARDER, MA PETITE DEMOISELLE ! VOUS ÊTES LÀ POUR ÇA !

JE MENTAIS, ET SUR LE FAIT DE JOUIR ET SUR LE FAIT D'AVOIR EU UNE RELATION SEXUELLE « POUR DE BON ». JE MENTAIS POUR ME PERSUADER MOI-MÊME. ÇA S'EST DÉROULÉ COMME ÇA, PUISQUE JE VOUS LE DIS. TOUT PLUTÔT QUE DE RÉPONDRE : EH BIEN, MOI, JE NE SAIS PAS POURQUOI, ÇA M'OBSÈDE, ÇA ME HANTE, MAIS JE N'Y ARRIVE PAS.

JE ME RÉPÉTAIS : TU VOIS, TOUS CES GENS AUTOUR DE TOI, EUX ILS ONT DU DÉSIR...

IL N'Y A QUE TOI QUI N'EN AS PAS, IL N'Y A QUE TOI QUI ES AUSSI FRIGIDE.

APRÈS AVOIR ROMPU AVEC SÉBASTIEN, AU MILIEU DE L'ÉTÉ 2004, J'AI GRIMPÉ DANS UN TRAIN POUR POURSUIVRE MES ÉTUDES AILLEURS. J'AI PRIS LA VOIE QUI ME SEMBLAIT LA PLUS SIMPLE, À SAVOIR : LE DÉNI. APRÈS TOUT, SI JE N'AVAIS EU POUR LUI AUCUN DÉSIR, CE DEVAIT ÊTRE DE SA FAUTE. AVEC LE PROCHAIN, TOUT IRAIT BIEN. TOUT IRAIT MIEUX.

MAIS SURPRISE, SURPRISE : AVEC LE PROCHAIN, ET AVEC LES SIX AUTRES QUI ONT SUIVI, BIS REPETITA. LES NAUSÉES, MA MAIN DROITE QUI BRANLE MOLLEMENT LES SEXES DE CEUX QUI FINISSENT PAR SE LASSER DE NE POUVOIR ME PÉNÉTRER, LES INSOMNIES LE RESTE DE LA NUIT, L'ODEUR DE LEUR CORPS QUI ME HANTE ENSUITE PENDANT DES JOURS. CE SERAIT ÇA, L'AMOUR ? CE SERAIT ÇA, ÊTRE AMOUREUSE ?

J'AVAIS L'IMPRESSION D'ÊTRE ÉTRANGÈRE À LA FÊTE. MES AMIES PARLAIENT
DE LEURS RELATIONS AVEC DES ÉTOILES DANS LES YEUX ; MOI, JE NE COMPRENAIS
NI MES ÉMOTIONS NI L'UNIVERS ENCHANTÉ QU'ELLES ME DÉCRIVAIENT.

CELA ME SEMBLE DINGUE DE VOUS L'ÉCRIRE, MAIS JE NE SAIS PAS AVEC QUEL GARÇON J'AI PERDU MA VIRGINITÉ. J'AI ZAPPÉ CELUI QUI M'A PÉNÉTRÉE LE PREMIER. QUINZE ANS PLUS TARD, JE N'AI TOUJOURS AUCUN SOUVENIR D'UNE PREMIÈRE FOIS. COMME UN TRAUMATISME QUE MA MÉMOIRE AURAIT ARBITRAIREMENT DÉCIDÉ DE M'ÉPARGNER.

JE ME SOUVIENS TRÈS PRÉCISÉMENT, EN REVANCHE, DE LA DERNIÈRE FOIS OÙ MON CORPS A FRÔLÉ UN PÉNIS. LE 15 AOÛT 2008. ET CHAQUE ÉTÉ QUI A SUIVI, J'AI REPENSÉ, AVEC JOIE, À CET IMPROBABLE ANNIVERSAIRE.

PENDANT CE TEMPS, QUELQUE PART DANS MA TÊTE...

MESDAMES ET MESSIEUUUUURS, ELLES S'AFFRONTENT CE SOIR DEVANT VOUS DANS UN COMBAT QUI DEVRAIT ÊTRE TRÈS TRÈS SERRÉ !

À MA DROITE, ELLE N'A PAS PERDU UN SEUL DE SES MATCHS DEPUIS DIX ANS, ELLE A TOUJOURS RÉUSSI À REPOUSSER SES ADVERSAIRES.

À MA GAUCHE, ELLE ÉTAIT POUR L'INSTANT ASSEZ DISCRÈTE MAIS LES COMMENTATEURS SONT UNANIMES : IL FAUT LA PRENDRE AU SÉRIEUX.

MAIS ON LA DIT FATIGUÉE, EN TRAIN DE BASCULER : VA-T-ELLE RÉUSSIR À RESTER LA REINE INCONTESTÉE CE SOIR ?

ELLE A L'APPÉTIT ET LA VOLONTÉ POUR ÊTRE LA GRANDE CHAMPIONNE DE CES PROCHAINES ANNÉES. ET SI SON DÉSIR EMPORTAIT TOUT CE SOIR ?

ALLEZZZZ!!

OUAiiiiiiis!!

MESDAMES, MESSIEURS, SILENCE S'IL VOUS PLAÎT, LES COMBATTANTES SONT PRÊTES.

S T O P

MARS 2009, LILLE.

ÇA VA ?

ÇA VA ET TOI ? T'AS MANGÉ ?

OUI, OUI.

TANT MIEUX, PARCE QUE J'AI RIEN DANS MON FRIGO !

MAIS ON PEUT SE FAIRE LIVRER DES SUSHIS ?

NON, NON, ÇA VA.

JE SUIS CONTENTE D'ÊTRE LÀ.

MOI AUSSI.

QUE TU SOIS LÀ.

NOUS SOMMES DANS LA NUIT DU 7 AU 8 MARS 2009. JE LE SAIS PARCE QUE MAËLLE M'AVAIT OBLIGÉE À SIGNER UN BOUT DE PAPIER CE SOIR-LÀ, CERTIFIANT QUE L'ON NE SERAIT JAMAIS UN COUPLE. J'ÉCRIS AU FEUTRE VERT : « JE PROMETS DE NE JAMAIS TE FAIRE CHIER. MAIS MAINTENANT, J'AIMERAIS JUSTE T'EMBRASSER. »

VIENS.

AVRIL 2009, LILLE.

QU'EST-CE QUE TU FOUS ? TU VIENS ?

OUI, OUI ! MAIS C'EST TELLEMENT DINGUE !

HAHA, MAIS ÉVIDEMMENT ! SI T'ARRIVES À TE DÉCOLLER DE TA MEUF, ON EST CHEZ CAMILLE.

JE SAIS, SUIS LÀ DANS CINQ MINUTES !

GROUILLE, Y AURA BIENTÔT PLUS DE BIÈRES.

TU REMARQUERAS QUE JE N'INSISTE PAS SUR LE FAIT QUE J'AVAIS RAISON.

TSSSS HAHAHA...

BIP

PUTAIN...

JE COUCHE AVEC UNE FILLE.

J'AIME UNE FILLE !

TOK

Poc

IL EST MÊME PAS ABÎMÉ, LE VERRE, T'AS VU ?

ALORS QUE SI NOUS ON TOMBE, ON S'ÉCRASE...

C'EST CLAIR...

ATTENDS, ÇA VEUT DIRE QU'ON EST PLUS FRAGILES QU'UN VERRE EN PLASTIQUE, C'EST OUF...

AH OUAIS... EH BEN... ON EST VRAIMENT PAS GRAND-CHOSE...

ME DISAIS... EN FAIT, VOUS L'AVEZ DIT À PERSONNE, QUE VOUS ÊTES ENSEMBLE ?

NON.

ENFIN, JE L'AI DIT À VOUS, ELLE L'A DIT À QUELQUES COPINES... JE CROIS QUE ÇA LUI FAIT PEUR QUE TOUT LE MONDE SOIT AU COURANT...

ALORS QUE TOI, T'AS ENVIE DE LE CRIER SUR TOUS LES TOITS, NON ?

J'SAIS PAS...

ÇA ME FAIT PEUR AUSSI.

ET PUIS SI JE LE DIS, J'AI L'IMPRESSION QUE TOUT LE MONDE VA PENSER QUE JE SUIS HOMO, ALORS QUE C'EST PAS TOUTES LES FILLES, C'EST JUSTE ELLE.

OUI OUI, BIEN SÛR...

MAIS JE SUIS TELLEMENT AMOUREUSE !

ET NOUS, ON TRINQUE À TON GRAND AMOUR AU VIN ROUGE. N'IMPORTE QUOI !

GIRLS, WE RUN THIS MUTHA (YEAH)
GIRLS, WE RUN THIS MUTHA (YEAH)
GIRLS, WE RUN THIS MUTHA (YEAH)

AH J'ADORE !

63

NON SEULEMENT J'ÉTAIS AMOUREUSE, MAIS EN PLUS, C'ÉTAIT COMME SI MON
CORPS SE RÉVEILLAIT D'UN LONG COMA ET QUE JE DÉCOUVRAIS SUBITEMENT :

C'est ce truc qui donne des fourmis dans le bas-ventre.

LE CUL

L'AMOUR

Trois jours sans ses lèvres, et j'en peux plus.

L'ORGASME

Je me sens fragile, suspendue à elle.

LA JALOUSIE

JE TENTAIS TANT BIEN QUE MAL DE CONTENIR CES NOUVELLES
ÉMOTIONS, INCAPABLE DE LES ANALYSER. BESOIN DE REPOUSSER
ENCORE UN PEU L'OFFICIALISATION DE MA RELATION AVEC MAËLLE.

SAUF QUE MES SENTIMENTS ONT UNE FÂCHEUSE TENDANCE : ILS DÉBORDENT.

LE DÉSIR

LA COLÈRE

LA HAINE

LA VIE

MAI 2009.

TROP BIEN DES LASAGNES !!

JE TE DONNERAI LA RECETTE, C'EST SUPER FACILE !

EN MÊME TEMPS, À CHAQUE FOIS QUE TU PARLES DE CUISINE, TU DIS QUE C'EST FACILE À RÉALISER... MAIS JE GALÈRE TROP À LES REFAIRE DERRIÈRE, TES RECETTES !

HAHA !

FAIS COMME MOI : ABANDONNE !

HA HA HA

EN TOUT CAS, VOUS ÊTES SUPER BIEN INSTALLÉS ICI ! ÇA VALAIT LE COUP DE SE LEVER À 7 HEURES UN DIMANCHE POUR VOUS DÉMÉNAGER !

OH LÀ LÀ, M'EN PARLE PAS... SOUS LA PLUIE, EN PLUS !

ARRÊTEZ LES FILLES, VOUS AVEZ RIEN PORTÉ !

RIEN ?

IL EST FOU, TON MEC.

J'AVAIS DES COURBATURES LE LENDEMAIN, OK ?

HA HA HA!

HA HA HA!

JE SENS QUE MON COMING OUT APPROCHE. SANS DOUTE POUR COMMENCER À Y FAIRE FACE ET SANS QUE JE COMPRENNE TOUJOURS EXACTEMENT COMMENT, LES SEMAINES QUI PRÉCÈDENT CE GRAND SAUT, TOUTES MES CONVERSATIONS PRENNENT UNE TEINTE ARC-EN-CIEL.

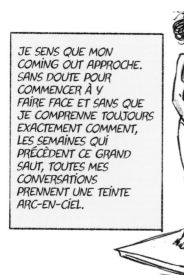

DU COUP, TU VAS FAIRE QUOI APRÈS L'ÉCOLE, ÉLO ?

A PRIORI, JE PARS AU MAROC, JE T'AVAIS PAS DIT ?

AU... MAROC ?!

OUI ! DANS UNE RADIO, J'ATTENDS LEUR RÉPONSE POUR UN CDD D'UN AN !

C'EST FOU, CETTE HISTOIRE ! LE GRAND ÉCART CLIMATIQUE AVEC LILLE, QUOI !

ET OÙ EXACTEMENT AU MAROC ?

À TANGER ! MAIS J'AVOUE, ÇA M'FAIT UN PEU PEUR.

POURQUOI ? ÇA VA ÊTRE GÉNIAL !!

JE SAIS PAS... J'AI LU QUE C'ÉTAIT PAS FORCÉMENT UN ENDROIT SIMPLE QUAND T'ES UNE FEMME.

AH OUI ? AU CONTRAIRE, TU DOIS AVOIR PLEIN DE MECS GALANTS QUI SONT AUX PETITS SOINS.

...

COMME MOI ?

TSSSS !

PEUT-ÊTRE... MAIS QUAND MÊME : CETTE SEMAINE, ILS ONT ARRÊTÉ ET MIS EN PRISON UN COUPLE DE FEMMES QUI S'EMBRASSAIENT DANS LA RUE !

PEUT-ÊTRE QUE JE SUIS RESTÉE FIGÉE, PRIANT POUR QUE MES RÉCENTES NUITS D'AMOUR NE CLIGNOTENT PAS TROP FORT AU-DESSUS DE LA TABLE. PEUT-ÊTRE.

PARFOIS C'ÉTAIT UN JEU, PARFOIS UNE PICHENETTE DE MON INCONSCIENT : JE FOUILLAIS MES INTERLOCUTEURS POUR TENTER DE DÉCELER LE FOND DE LEUR PENSÉE.

POUR MOI, ILS RÉAGISSAIENT LÀ DE LA MANIÈRE DONT ILS N'OSERAIENT PLUS LE FAIRE ENSUITE.

AVANT DE SAUTER, AVANT DE DIRE À VOIX HAUTE CE QUI REMUAIT TANT MES TRIPES, JE CHERCHAIS À ME PROTÉGER ET, EN MÊME TEMPS, À ME FAIRE PEUR.

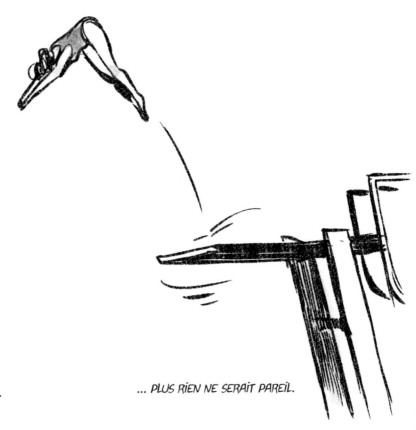

J'ÉTAIS SI ANGOISSÉE DU REJET. POUR MOI, SAUTER C'ÉTAIT ACCEPTER QU'ENSUITE...

... PLUS RIEN NE SERAIT PAREIL.

JE NE SAIS PAS SI ON OUBLIE UN JOUR CES GRIMACES ET CES MOTS, CEUX PRONONCÉS PAR DES PROCHES AVANT QU'ILS CONNAISSENT NOS DÉSIRS, AVANT QU'ILS SACHENT VRAIMENT QUI NOUS SOMMES.

JUIN 2009.

TU DORS ?

MMH. NON...

MAIS L'ENVIE ET LE BESOIN D'EN PARLER, DE LE PARTAGER, D'ÊTRE RASSURÉE ÉTAIENT PLUS FORTS QUE TOUT.

TU VAS PAS LE CROIRE... MAIS... J'AI EMBRASSÉ QUELQU'UN.

QUOI ?

C'EST QUI ?!

C'EST UNE FILLE.

JE CROIS QUE JE T'AI PARLÉ D'ELLE... MAËLLE.

CLAC

AH MAIS OUI !

MAIS C'EST GÉNIAL, ÉLO ! C'ÉTAIT QUAND ? ÇA SE PASSE BIEN ?

IL Y A CELLES QUI SONT D'UNE GRANDE DOUCEUR.

ET TOI ALORS, ÉLO, LES Z'AMOURS ?

...

AH, ÉLO A UN TRUC À NOUS DIRE !!!

ALORS VAS-Y RACONTE, C'EST QUI ?

ALLEZ DIS-NOUS, IL S'APPELLE COMMENT ?

MAËLLE.

ET IL VIENT D'OÙ, IL FAIT QUOI CE MAËL ?

C'EST UNE FILLE. MAËLLE.

...

MOI AUSSI, J'AI QUELQUE CHOSE À VOUS DIRE.

T'ES AUSSI AVEC UNE FILLE ???

NON, MAIS JE SUIS... ENCEINTE !

IL Y A CELLES DONT LA SITUATION M'A BIEN AIDÉE.

MAIS NON !!

AH OUAIS ???

MAIS C'EST DINGUE !!

MAIS QUOI, MAIS WAHOU !!

C'EST QUOI CETTE JOURNÉE COMPLÈTEMENT FOLLE ?

ENFIIIIIIN ! ELLE EST DES NÔÔÔTRES !

IL Y A CELLES QUI SONT À DEUX DOIGTS DE SABRER LE CHAMPAGNE.

MAIS, COMME VOUS L'IMAGINEZ, IL Y A UNE ANNONCE QUI M'ANGOISSAIT DAVANTAGE QUE LES AUTRES.

JUIN 2009, MAYENNE.

ET MAMIE, ÇA VA ? TU L'AS APPELÉE ?

OUI, JE L'AI EUE QUAND ? HIER, JE CROIS ! C'EST DUR ÉVIDEMMENT...

MAIS J'AI L'IMPRESSION QU'ELLE EST BIEN ENTOURÉE, HEUREUSEMENT.

VOUS RETOURNEZ À RENNES BIENTÔT ?

OUI, LA SEMAINE PROCHAINE JE PENSE, J'AIMERAIS BIEN VOIR LA TOMBE DE PAPI FLEURIE.

SINON, JE NE SAIS PLUS SI JE T'AI RACONTÉ ÇA : TU TE SOUVIENS DE FRANÇOIS, CHEZ QUI ON ACHETAIT DU BOIS ?

OUI, BIEN SÛR !

EH BIEN, ON A EU UNE MAUVAISE NOUVELLE : IL S'EST SUICIDÉ.

AH BON ?!

OUI, IL AURAIT LAISSÉ UNE LETTRE. MAIS JE ME DEMANDE S'IL N'ÉTAIT PAS HOMOSEXUEL, ET QU'IL AVAIT PEUR D'ÊTRE REJETÉ...

AH, TU CROIS ?

OUI... QUELLE TRISTESSE. ALORS QUE FRANCHEMENT, J'AI PAS DE CHIFFRES MAIS JE SUIS CERTAINE QU'IL Y A QUELQU'UN D'HOMO DANS CHAQUE FAMILLE !

ELLE M'A ENTENDUE PARLER À MAËLLE ?

QUAND EST-CE QU'ELLE AURAIT PU M'ENTENDRE ?

NON ? VOUS ÊTES PAS D'ACCORD AVEC MOI ? JE VOUS PARLE DE FAMILLE ÉLARGIE HEIN.

...

TON PÈRE A L'AIR GÊNÉ, IL A PAS L'AIR D'ACCORD AVEC MOI HAHA !

ELLE LE SAIT, C'EST SÛR, POURQUOI ELLE DIRAIT ÇA SINON ?

C'EST PAS POSSIBLE, ELLE SAIT.

N'IMPORTE QUOI !!

HA HA HA HA HA HA

76

AH ET JE T'AI PAS DIT : ÇA Y EST, ON A RÉSERVÉ NOS VACANCES POUR SEPTEMBRE !

HUM.

ON A TROUVÉ UN GÎTE DANS LE MARAIS POITEVIN, ET LES PROPRIÉTAIRES ONT L'AIR SUPER SYMPA !

ÇA A L'AIR MAGNIFIQUE, TU CONNAIS ?

HUM... NON.

MAIS BON AVANT, FAUT QU'ON AILLE AIDER TON FRÈRE À DÉMÉNAGER, IL T'A DIT QUAND C'ÉTAIT ?

ÇA VA, MA CHÉRIE ?

OUI... ENFIN NON... 'FIN, JE...

JE ME DEMANDAIS : POURQUOI TU DISAIS QU'IL Y AVAIT TOUJOURS DES HOMOS DANS LES FAMILLES ?

TU... TU PENSAIS À QUELQU'UN EN PARTICULIER ?

AH NON, JE DISAIS ÇA COMME ÇA ! TU ME CONNAIS, UNE IDÉE EN ENTRAÎNANT UNE AUTRE...

AH OUI, PARCE QUE JE... JE... JE PENSAIS QUE TU PARLAIS DE MOI.

PARCE QUE JE...

J'AIME UNE FILLE.

ELLE S'APPELLE MAËLLE

ON S'EST RENCONTRÉES À... À L'ÉCOLE. J'ÉTAIS SA MARRAINE ET PUIS...

MAIS POURQUOI TU PLEURES ?

PARCE QUE J'AI PEUR QUE... QUE VOUS NE M'AIMIEZ PLUS

QUE VOUS AYEZ HONTE DE MOI.

MAIS ÇA VA PAS !

JE VOIS PAS CE QUE TU POURRAIS FAIRE POUR QUE JE NE T'AIME PLUS, ENFIN !

MAIS ALORS... TU ES HOMOSEXUELLE ?

NON. ENFIN, JE SAIS PAS. JE CROIS PAS QUE CE SOIT TOUTES LES FILLES, C'EST JUSTE ELLE, CETTE FILLE-LÀ.

AH... MAIS TU SAIS PAS SI TU PRÉFÈRES LES GARÇONS OU LES FILLES ?

NON. ENFIN, JE PENSE QU'APRÈS, SI ÇA SE TERMINE AVEC MAËLLE, JE RETOURNERAI AVEC DES GARÇONS PARCE QUE C'EST PLUS SIMPLE, DANS L'ABSOLU, MAIS J'EN SAIS RIEN...

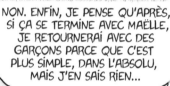

AH ?

JE SAIS JUSTE QUE LÀ, MAINTENANT, J'AIME UNE FILLE.

JE NE SAIS PAS COMBIEN DE TEMPS NOUS AVONS DISCUTÉ, AVEC MA MÈRE. UNE HEURE, PEUT-ÊTRE.

MAIS POUR LES ENFANTS, ÇA VEUT DIRE QUE... QUE ÇA VA ÊTRE COMPLIQUÉ...

COMME TOUTES LES MÈRES, LA MIENNE APPUYAIT SUR LE POINT LE PLUS SENSIBLE. POUR ELLE COMME POUR MOI.

JE... SI, J'AIMERAIS BIEN. JE CROIS QU'AVEC UNE PMA*, ON PEUT, MAIS JE ME SUIS PAS RENSEIGNÉE.

OUI MAIS BON, C'EST PAS PAREIL QUAND MÊME.

*PROCRÉATION MÉDICALEMENT ASSISTÉE.

OUI. ENFIN, JE SAIS PAS... JE SAIS PAS.

VOILÀ, ÇA Y EST : C'EST DIT, ET JE ME SENS SOUDAIN SI LÉGÈRE,
SI SOULAGÉE. PERSUADÉE D'AVOIR PARCOURU L'ESSENTIEL DU CHEMIN.

SEPTEMBRE **2009**, TANGER.

TROIS SEMAINES APRÈS CETTE CONVERSATION AVEC MA MÈRE, JE M'ENVOLE VERS MA PREMIÈRE EXPÉRIENCE PROFESSIONNELLE : UN AN DANS UNE RADIO FRANCO-MAROCAINE BASÉE DE L'AUTRE CÔTÉ DE LA MÉDITERRANÉE.

TAP

TAP

TAP

ANTENNE DANS CINQ MINUTES, T'ES PRÊTE ?

OUI... FAUT JUSTE QUE J'IMPRIME.

LOIN DE MAËLLE, LOIN DE MES AMIES ; MAIS AVEC VUE SUR MER.

JE ME SUIS SOUVENT DEMANDÉ : POURQUOI VOULOIR DEVENIR JOURNALISTE ? POUR POUVOIR ENFIN M'EXPRIMER ? MAIS EXPRIMER QUOI ? OU ÉTAIT-CE PARCE QUE J'IMAGINAIS CE MILIEU PROFESSIONNEL PLUS OUVERT D'ESPRIT QUE D'AUTRES ?

RAVIE DE PASSER CETTE MATINÉE ENSEMBLE ! VOUS RESTEZ À L'ÉCOUTE, DANS QUELQUES MINUTES, LE JOURNAL.

AU MAROC, L'HOMOSEXUALITÉ EST ILLÉGALE. J'AVAIS DONC PRIS SOIN DE NE RÉVÉLER À AUCUN COLLÈGUE MA VIE SENTIMENTALE.

BONJOUR ! ÇA VA, LÀ ?

IL EST 10 HEURES, LE JOURNAL ! BONJOUR ÉLODIE FONT...

BONJOUR À TOUS, LE ROI MOHAMMED VI BIEN ARRIVÉ À RABAT POUR L'INAUGURATION...

... ONZE PERSONNES DISPARUES EN MÉDITERRANÉE TÔT CE MATIN... CE SONT LES AUTORITÉS MAROCAINES QUI L'ANNONCENT... DEPUIS LE DÉBUT DE L'ANNÉE, ILS SONT...

JE PENSAIS DONC, ASSEZ NAÏVEMENT, QUE PERSONNE N'ÉTAIT AU COURANT.

... DES PLUIES DILUVIENNES DANS L'EST DU MAROC... LA PLUPART DES RUES IMPRATICABLES... ET DÉJÀ DEUX PERSONNES EMPORTÉES PAR LES FLOTS...

MERCI ÉLODIE, PROCHAIN RENDEZ-VOUS AVEC L'INFORMATION À 10H30.

D'AUTANT QUE LA RELATION À DISTANCE AVEC MAËLLE ÉTAIT LABORIEUSE. LOIN DES YEUX, MAL AU CŒUR.

Tu as bien dormi ?

Je pense à toi.
Réponds-moi

!!

AH, TU VEUX
TON TÉLÉPHONE ?

...

HA HA
HA HA HA
HA

MAIS, EN QUELQUES JOURS,
LE BRUIT AVAIT COURU DANS
TOUTE LA RÉDACTION.

TES PHRASES
ÉTAIENT TROP COURTES !
ENCORE UNE FOIS !

(HIER, ELLES
ÉTAIENT « TROP
LONGUES » ...)

NOVEMBRE 2009.

TA VOIX, C'EST PAS POSSIBLE !

TU T'ENTENDS AU MOINS ?

PLUS LES JOURS PASSAIENT, PLUS UNE BOULE D'ANGOISSE NOUAIT MON ESTOMAC.

JANVIER 2010...

QU'EST-CE QUE C'EST MAL ÉCRIT !

C'ÉTAIT MA PREMIÈRE EXPÉRIENCE PROFESSIONNELLE, ET JE N'AURAIS PU IMAGINER PREMIER EMPLOI AUSSI PÉNIBLE.

ET PUIS TU SOURIS TROP !

TU COMPRENDS : TU SOURIS TROP !!

JE VAIS ARRÊTER DE TE METTRE À LA PRÉSENTATION DES JOURNAUX, SI ÇA CONTINUE !

NULLE !

SI, UN JOUR, VOUS AVEZ UN CHEF QUI VOUS DIT QUE LE PROBLÈME, C'EST VOTRE SOURIRE : BARREZ-VOUS LE PLUS VITE POSSIBLE.

AU BOUT DE HUIT MOIS, UNE COLLÈGUE A ENFIN CRACHÉ LE MORCEAU : OUI, CHACUN SE DÉLECTAIT, DANS MON DOS, DE MA RELATION SAPHIQUE.

OUI, TOUTES CES HUMILIATIONS QUOTIDIENNES ÉTAIENT LIÉES À MA SEXUALITÉ.

J'AI MIS DES ANNÉES AVANT DE RÉALISER QUE J'AVAIS ÉTÉ HARCELÉE. MAIS JE N'AVAIS AUCUNE EXPÉRIENCE, PEU DE REPARTIE ET ENCORE MOINS DE CONFIANCE DANS MES CAPACITÉS. LE COUP DE GRÂCE EST VENU D'AILLEURS...

C'EST À CE MOMENT-LÀ, AU DÉBUT DE L'ANNÉE 2010, QUE J'AI COMMENCÉ À ENTENDRE DES VOIX.

PLUS PRÉCISÉMENT : À ENTENDRE MA VOIX. DU MATIN JUSQU'AU SOIR, PLUSIEURS FOIS PAR MINUTE. EN BOUCLE DANS MA TÊTE, MA VOIX RÉPÉTANT CES DEUX PRÉNOMS, LE MIEN ET CELUI DE CELLE QUI VENAIT DE DÉCIDER DE NOTRE SÉPARATION.

LES PREMIERS JOURS, J'AI PENSÉ QUE CELA DEVAIT RESSEMBLER À ÇA, UN CHAGRIN D'AMOUR. UN SENTIMENT DE GÂCHIS INNOMMABLE, UNE COLÈRE SOURDE ET BEAUCOUP DE LARMES.

PLUS J'ÉTAIS OBSÉDÉE, HANTÉE MÊME, PAR CES DEUX PRÉNOMS, PLUS MON INTESTIN SE TORDAIT DE DOULEUR.

APRÈS QUELQUES SEMAINES, MON PRÉNOM S'EST ÉVAPORÉ DANS LA NATURE.
SEUL RÉSISTAIT CELUI DE MON EX. MON VENTRE S'EST APAISÉ, J'AI PRESQUE FINI PAR
M'HABITUER. CURIEUSEMENT, JE ME SENTAIS AUSSI DÉLIVRÉE : APRÈS TOUT, SI MAËLLE
NE M'EMBRASSAIT PLUS, PEUT-ÊTRE QUE TOUT POURRAIT RENTRER DANS L'ORDRE ?
PEUT-ÊTRE POURRAIS-JE, MAINTENANT QUE J'AVAIS LA CONFIRMATION QUE
JE N'ÉTAIS PAS FRIGIDE, PRENDRE DU PLAISIR AVEC UN GARÇON ?

À AUCUN MOMENT, PENDANT NOTRE ANNÉE DE RELATION, JE NE ME SUIS DÉFINIE
COMME HOMOSEXUELLE. OU COMME LESBIENNE, D'AILLEURS — LE MOT « LESBIENNE »
ME REPOUSSAIT. LESBIENNE, L E S B I E N N E... : J'AI MIS DES ANNÉES AVANT
DE LUI TROUVER DU CHARME, À CE MOT. JE ME RÉPÉTAIS COMME UN MANTRA :
C'EST MAËLLE, PAS TOUTES LES FILLES. J'AURAIS PU SONGER QUE J'ÉTAIS BI,
MAIS JE NE L'AI JAMAIS RÉELLEMENT ENVISAGÉ. JE SUPPOSE QUE J'AVAIS BESOIN
DE RENTRER DANS UNE CASE AUX CONTOURS BIEN DÉFINIS.

J'EN AI HONTE, MAIS JE DOIS L'ADMETTRE : J'ÉTAIS HOMOPHOBE. DÉBORDANT DE CLICHÉS SUR CETTE SEXUALITÉ QUE J'EFFLEURAIS. SURTOUT SUR LES LESBIENNES AYANT DES COMPORTEMENTS QUE L'ON ATTRIBUE GÉNÉRALEMENT À LA GENT MASCULINE – LES « BUTCHS ». CELLES QUI VOUS PLIENT AU BILLARD ET AU BABY-FOOT, CELLES QUI ONT LES CHEVEUX COURTS ET UN TATOUAGE SUR L'ÉPAULE.

JE CONSACRAIS UNE PART NON NÉGLIGEABLE DE MON ÉNERGIE À LES DÉTESTER. À ME DEMANDER SI ELLES AVAIENT UN PROBLÈME AVEC LES HOMMES ? AVEC LEUR PÈRE ?

J'ÉTAIS OBSÉDÉE PAR LE REGARD DE CEUX QUI M'ENTOURAIENT. C'ÉTAIT PRESQUE UNE VICTOIRE QUAND DES GENS CROISÉS EN SOIRÉE ME CROYAIENT AMOUREUSE D'UN HOMME. OUI, J'ÉTAIS RASSURÉE PAR CEUX QUI NE DEVINAIENT RIEN DE MES TOURMENTS.

ETÉ 2010, FRANCE.

APRÈS UNE ANNÉE ENTIÈRE À COMPTER LES SEMAINES QUI ME RESTAIENT À TANGER, J'IMAGINAIS L'ÉTÉ COMME UNE GRANDE LIBÉRATION.

ET MAINTENANT, UN PETIT JEU POUR NOS DEUX MARIÉS ! CARO, NICO, ON VOUS A PRÉPARÉ LE JEU DES ADJECTIFS !

TING
TING
TING

CET ÉTÉ, C'ÉTAIT SÛR, J'ALLAIS RETROUVER LE CHEMIN TANT ESPÉRÉ DE L'HÉTÉROSEXUALITÉ.

BON ET TOI ÉLO, TOUJOURS CÉLIB' ? QUAND EST-CE QUE TU NOUS RAMÈNES UN MEC ?

BEN SI T'AS UNE BAGUETTE MAGIQUE, JE T'EN PRIE, FAIS-TOI PLAISIR !

ATTENDS, UN MARIAGE, C'EST PARFAIT : MEILLEURE OCCAS' DE CHOPER* !

*D'OÙ VIENT CETTE RUMEUR ? QUELS SONT SES RÉSEAUX ? JAMAIS RENCONTRÉ PERSONNE QUI AIT CHOPÉ À UN MARIAGE.

TSAMINA MINA WAKA WAKA EH EH ZANGALEWA THIS TIME AFRICA

J'ALLAIS AVOIR 25 ANS, ET APPAREMMENT, CELA COMMENÇAIT À SE VOIR.

JE CHERCHAIS À PLAIRE. SI POSSIBLE À UN GARÇON SÉDUISANT.

MAIS, DANS LE CREUX DE L'ÉTÉ BRETON, L'HOMOSEXUALITÉ M'A RATTRAPÉE...

OU PLUTOT LE DÉNI DE MON HOMOSEXUALITÉ...

... ET TOUTE LA SOUFFRANCE QUE CE DÉNI CHARRIE.

CHAQUE MATIN, AU RÉVEIL, PENDANT UNE DEMI-SECONDE, PEUT-ÊTRE MOINS, J'OUBLIAIS
CE MOT : « SUICIDE ». ET, DÈS QUE MON ESPRIT SE RÉANIMAIT, IL ME POSSÉDAIT DE NOUVEAU.
COMME UNE ALARME, LANCINANTE, QUI S'ARRÊTAIT SEULEMENT LORSQUE JE PLONGEAIS
DANS UN SOMMEIL SANS RÊVES.

MÊME AU CINÉMA, JE L'ENTENDAIS SI FORT QUE JE N'ARRIVAIS PAS
À ME CONCENTRER SUR LE FILM, AUSSI LÉGER SOIT-IL. MA PLUS GROSSE
CRISE D'ANGOISSE ? BIEN INSTALLÉE DEVANT « TOY STORY 3 ».

C'ÉTAIT LA MÊME VOIX INTÉRIEURE QUE LORSQUE J'ENTENDAIS MON PRÉNOM
OU CELUI DE MAËLLE. LES MÊMES MAUX DE VENTRE, À ME FAIRE VOMIR.
MAIS CETTE FOIS, C'ÉTAIT ENCORE PLUS DOULOUREUX.

J'ÉTAIS TRAHIE PAR CEUX QUE J'AIMAIS TANT, DERRIÈRE LESQUELS JE ME RÉFUGIAIS
VOLONTIERS : LES MOTS. « LES MOTS SONT AUSSI DES BOURREAUX QUI SENTENT LE FAGOT,
PARFOIS LE SOUFFRE. LES MOTS ME RAMÈNENT À ZÉRO QUAND J'USE MON STYLO
ET QUE J'EN SOUFFRE ».*

*ANNE SYLVESTRE – « SUR MON CHEMIN DE MOTS ».

OCTOBRE *2010*, PARIS.

ÉLODIE, ÉCOUTEZ-MOI BIEN.

VOUS N'ÊTES PAS MALADE.

MA MÉDECIN GÉNÉRALISTE M'AVAIT RECOMMANDÉ DE PRENDRE RENDEZ-VOUS AVEC CE PSY. ELLE DISAIT QUE, « COMME POUR MOI, <u>ÇA NE SE VOYAIT PAS</u> ».

ALORS POURQUOI JE SUIS EN TRAIN DE M'APPELER AU SUICIDE TOUTE LA JOURNÉE ? J'EN PEUX PLUS, JE SUIS FATIGUÉE, J'AI HYPER MAL AU VENTRE... JE COMPRENDS PAS...

PARCE QUE JE VEUX PAS MOURIR ET EN MÊME TEMPS, SI C'EST CE QUE MON ESPRIT VEUT, PEUT-ÊTRE... PEUT-ÊTRE QU'IL FAUT QUE...

VOTRE ESPRIT, C'EST VOUS. VOUS N'ÊTES PAS SUICIDAIRE, VOUS VOUS ENVOYEZ UNE ALERTE.

REMERCIEZ VOTRE ESPRIT DE VOUS L'ENVOYER, CET AVERTISSEMENT : JE SUIS CERTAIN QUE VOUS ALLEZ DÉCOUVRIR COMMENT Y RÉPONDRE.

LE REMERCIER ?!

JE VAIS VOUS Y AIDER.

JE NE COMPRENAIS RIEN À CETTE HISTOIRE D'ALERTE. J'AI SEULEMENT RETENU DE CE PREMIER RENDEZ-VOUS QUE JE N'ÉTAIS « PAS MALADE ». MAIS J'ÉTAIS TOUJOURS PERSUADÉE QUE QUELQUE CHOSE EN MOI – MON ÂME, MA CONSCIENCE, QUE SAIS-JE – VOULAIT M'ASSASSINER.

JE TRAVAILLAIS DE NUIT, DANS UNE RÉDACTION, ET CHAQUE CRAQUEMENT DU BÂTIMENT ME FAISAIT SURSAUTER. JE PARLAIS SEULE POUR NE PAS M'ENTENDRE PENSER. AU MOINS, LE MOT « SUICIDE » NE DÉPASSAIT PAS MES LÈVRES, JE NE LE PRONONÇAIS JAMAIS À VOIX HAUTE. D'AILLEURS, ENCORE AUJOURD'HUI, JE PEINE À L'ARTICULER.

À CHAQUE FOIS QUE J'Y PENSE, J'AI LES LARMES AUX YEUX : COMMENT AI-JE PU ALLER AUSSI LOIN DANS LA SOUFFRANCE POUR ME PARLER À MOI-MÊME ?

A11 : un chevreuil au kilomètre 248

AUTOROUTE FM, IL EST 2 HEURES ET 18 MINUTES, VOUS ROULEZ SUR L'A11 EN DIRECTION DE NANTES, JUSTE AVANT ANGERS, KILOMÈTRE 248, SOYEZ PRUDENTS, UN CHEVREUIL A ÉTÉ APERÇU SUR LE BORD DE LA ROUTE... SUR L'A28, TOUJOURS UN POIDS-LOURD SUR LE BAS-CÔTÉ KILOMÈTRE...

PENDANT PLUSIEURS SEMAINES, J'AI GARDÉ POUR MOI CE HURLEMENT INTÉRIEUR.

J'AVAIS PEUR QUE CEUX QUI M'ENTOURENT NE ME REGARDENT PLUS DE LA MÊME MANIÈRE. QUE JE LES EFFRAIE.

UN SOIR, UNE AMIE M'A REGARDÉE INTENSÉMENT : « ÉLO, DEPUIS QUE T'ES RENTRÉE DU MAROC, C'EST COMME SI... COMME SI T'AVAIS UN VOILE GRIS SUR LE VISAGE. »

MA LÉGÈRETÉ S'ÉVAPORAIT À VUE D'ŒIL. L'EXPRESSION « PORTER UN POIDS » PRENAIT TOUT SON SENS.

ÇA A DURÉ SIX MOIS, JOUR POUR JOUR. J'AI PRIS 12 KILOS, 2 KILOS PAR MOIS PASSÉ À COMPRENDRE.

KILOS QUE JE N'AI JAMAIS COMPLÈTEMENT PERDUS DEPUIS*.

C'EST LONG, SIX MOIS.

*PAR « JAMAIS COMPLÈTEMENT », J'ENTENDS : « J'EN AI PERDU 2 »

FÉVRIER 2011.

SI JAMAIS CE TRUC S'ARRÊTE UN JOUR, JE JURE QUE JE ME PLAINDRAI PLUS JAMAIS*.

ÇA VA MEUF ?

*NE PRENEZ PAS CE GENRE D'ENGAGEMENT. JAMAIS.

COMME D'HAB'... AU TOP !

HAHA, COMME D'HAB'... SUPER SEREINE DONC !

T'AS BIEN RAISON, MOQUE-TOI !

TU VAS ME RACONTER... TU BOIS QUOI ?

J'SAIS PAS. JE SAIS PAS SI C'EST PARCE QUE J'AI TOUT LE TEMPS MAL AU VENTRE, MAIS J'AI L'IMPRESSION QUE JE SUPPORTE PLUS LA BIÈRE !

NON, ÇA, C'EST JUSTE LA VIEILLESSE !

TU VEUX UNE CLOPE ?

ALORS LÀ, AVEC JOIE !

BON, TU ME RACONTES ?

BEN... C'EST TOUJOURS LÀ... LE MOT, LÀ...

LE SUICIDE ?

MAIS J'VEUX PAS MOURIR, HEIN !

J'AI BIEN COMPRIS, T'INQUIÈTE.

TU SAIS, J'Y AI RÉFLÉCHI : SI ÇA SE TROUVE, C'EST PARCE QUE TU DOIS FAIRE UN DEUIL.

COMMENT ÇA, UN DEUIL ?

JE SAIS PAS... PEUT-ÊTRE LE DEUIL DE TON HÉTÉROSEXUALITÉ ?

JE PENSAIS PAS QUE ÇA TE METTRAIT DANS CET ÉTAT... C'ÉTAIT JUSTE UNE IDÉE, ÉLO !

MAIS NON MAIS...

IL EST PARTI !

IL EST PARTI !

IL EST PARTI...

IL EST PARTI...

PARTI... ? LE SUICIDE ?

OUI !

HOMO

LESBIENNE

NON, ce n'est pas seulement avec UNE fille

J'ÉTAIS LA MÊME PERSONNE, J'AVAIS LA MÊME TÊTE, LES MÊMES CHEVEUX INCOIFFABLES, LA MÊME PROPENSION À L'ANXIÉTÉ. ET POURTANT, TOUT ÉTAIT DIFFÉRENT.

VOUS AVEZ PAS FROID QUAND VOUS EN PORTEZ ?

NON... MAIS J'AI L'IMPRESSION D'ÊTRE À POIL.

AHAHAH !

TU PEUX L'ACHETER. AU PIRE, ON EN REPARLERA QUAND TU SERAS PRÊTE, MAIS IL EXISTE UN TRUC DE DINGUE, ÇA S'APPELLE DES COLLANTS.

TSS.

ON EST EN TRAIN DE VIVRE UN TRUC, LÀ !

ESSAIE LES CHEMISES MAINTENANT !

LÀ, JE ME RECONNAIS !

TELLEMENT LESBIENNE ! C'EST PARFAIT !

MOI QUI DÉTESTAIS FAIRE LES MAGASINS, POUR LA PREMIÈRE FOIS, J'Y PRENAIS DU PLAISIR. J'AVAIS BESOIN DE TROUVER MA PROPRE MANIÈRE D'EXPRIMER MA SEXUALITÉ.

JE M'OFFRAIS LE DROIT – QUE PERSONNE NE ME REFUSAIT – DE PORTER DES ROBES ET DES CHEMISES À CARREAUX.

ALORS QUE JE COMMENÇAIS À PEINE À M'ACCEPTER, LA FRANCE, ELLE, ME RAPPELAIT QUE, POUR BEAUCOUP DE MES CONCITOYENS, MES DÉSIRS DEVAIENT RESTER CACHÉS.

CETTE PÉRIODE DU « MARIAGE POUR TOUS », JE L'AI REÇUE AVEC UNE GRANDE VIOLENCE, COMME BEAUCOUP D'HOMOSEXUELS. JE CROIS QUE, POUR TOUJOURS, IL RESTERA EN MOI DES FRAGMENTS DE CES DÉTESTABLES MOIS...

MAIS, BIZARREMENT, PLUS ILS LUTTAIENT CONTRE NOUS, ET MOINS
JE LUTTAIS CONTRE MOI. PLUS ILS LUTTAIENT CONTRE NOUS, ET PLUS
JE ME SENTAIS PARTIE INTÉGRANTE DE LA COMMUNAUTÉ LGBTQI *.
DU COUP, J'HÉSITE – PRESQUE – À LES REMERCIER.

*LE FAMEUX LOBBY DES LESBIENNES, GAYS, BIS, TRANS, QUEERS, INTERSEXES.

PRINTEMPS 2013, RENNES.

MAMIE... JE VOUDRAIS TE DIRE QUELQUE CHOSE.

EN CE PRINTEMPS D'INSULTES, J'OSAIS MÊME FRANCHIR UN PAS : ANNONCER À MES DEUX GRANDS-MÈRES QUE J'ÉTAIS DE NOUVEAU EN COUPLE...

JE SUIS AMOUREUSE...

AH, C'EST BIEN ÇA, MA FILLE.

AMOUREUSE D'UNE FEMME.

AH OUI, C'EST VRAI QUE Y EN A DE PLUS EN PLUS À LA TÉLÉ.

OUI. ELLE S'APPELLE SARAH ET ON EST ENSEMBLE DEPUIS UN AN. JE VIENDRAI TE LA PRÉSENTER, SI TU VEUX BIEN ?

OUI... ELLE EST GENTILLE AVEC TOI ?

TRÈS.

C'EST BIEN. FAUT ÊTRE GENTILLES ENTRE FEMMES.

VOUS AVEZ BIEN RAISON, FAUT PAS S'EMBÊTER AVEC DES HOMMES À VOTRE ÂGE.

« CHACUNE, CHACUN D'ENTRE NOUS EST SINGULIER, ET C'EST CE QUI FAIT LA FORCE DE LA SOCIÉTÉ. »

PLUS LES HOMOPHOBES DÉVERSAIENT LEUR HAINE, PLUS JE LISAIS DES BOUQUINS FÉMINISTES, PLUS JE DÉCOUVRAIS DES ARTISTES LESBIENNES, PLUS J'EN APPRENAIS SUR L'HISTOIRE DE LA COMMUNAUTÉ HOMOSEXUELLE. MON HISTOIRE.

J'ENVIE CELLES QUI, AUJOURD'HUI, GRANDISSENT AVEC DE NOMBREUSES REPRÉSENTATIONS DE L'HOMOSEXUALITÉ FÉMININE OU DE LA BISEXUALITÉ : VIRGINIE DESPENTES, ADÈLE HAENEL, CÉLINE SCIAMMA, ANGÈLE, SUZANE, HOSHI... MOI, QUELS MODÈLES J'AVAIS, QUAND J'AVAIS 15 ANS* ?

* J'AVAIS MÊME PAS VU « GAZON MAUDIT », C'EST VOUS DIRE.

ÉTÉ 2014.

TU TE RÉVEILLES À QUELLE HEURE DEMAIN ?

6 H 45 ! JE VAIS FAIRE UNE SÉANCE À LA SALLE DE SPORT.

ENCORE ? JE SAIS PAS COMMENT TU FAIS.

ET PUIS IL Y A EU MARIE. UNE HISTOIRE QUI AURAIT PU ÊTRE APPLAUDIE PAR LA « START-UP NATION » D'EMMANUEL MACRON.

JE TE PRÉPARERAI LE PETIT-DÉJ' EN RENTRANT.

1 MOIS

PREMIER « JE T'AIME »

2 MOIS

EMMÉNAGEMENT DANS LE MÊME APPART

3 MOIS

ELLE ME DEMANDE EN MARIAGE

4 MOIS

RENCONTRE AVEC SA FAMILLE

6 MOIS

ON ADOPTE UN CHAT ADORABLE

9 MOIS

ON ACHÈTE UNE VOITURE

1 AN ET 2 MOIS

ON SE MARIE

2 ANS

PREMIÈRE ENGUEULADE

2 ANS ET 2 MOIS

ON SIGNE L'ACHAT D'UN APPART SUR PLAN

2 ANS ET 7 MOIS

PREMIÈRE TENTATIVE DE PMA

3 ANS
QUATRIÈME TENTATIVE DE PMA

3 ANS ET 1 MOIS

ON EMMÉNAGE DANS L'APPART SUR PLAN

OUI, C'EST ÇA : LE CLICHÉ DU « DEUX MEUFS ENSEMBLE, ÇA VA TROIS FOIS PLUS VITE ».

122

ÇA A ÉTÉ TA JOURNÉE, MON CHAT ?

OUAIS, PAS MAL DE BOULOT... MAIS J'AI PU VOIR MON CHEF POUR SUIVRE LE TOUR DE FRANCE !

AH SUPER !

ENFIN, JE SUIS PAS RAVIE NON PLUS D'IMAGINER NE PAS TE VOIR PENDANT UN MOIS... IL T'A DIT QUE C'ÉTAIT OK ?

NORMALEMENT, C'EST BON, IL ME REDIRA LA SEMAINE PROCHAINE. ET SINON, JE VAIS SANS DOUTE PARTIR EN TURQUIE POUR LES ÉLECTIONS ! JE SUIS TROP CONTENTE !

SAUF QU'AVEC SARAH, PUIS AVEC MARIE, SURPRISE : MES ANGOISSES N'ONT PAS TOTALEMENT DISPARU. COMMENT (SE) FAIRE CONFIANCE QUAND ON S'EST MENTI PENDANT DES ANNÉES, QUAND ON N'A PAS SU RECONNAÎTRE SES SENTIMENTS, PAS SU LES ACCEPTER, PAS SU LES PARTAGER ? COMMENT FAIRE POUR AIMER SANS DOUTER ?

SURTOUT, COMMENT FAIRE POUR RÉAPPRIVOISER MON CORPS ?

T'AS ENVIE ?

NON, PAS CE SOIR.

COMMENT LUI FAIRE CONFIANCE ? LE RESPECTER ?

T'AS ENVIE ?

NON, PAS CE SOIR.

AVEC SARAH, PUIS MARIE, L'ABSENCE DE DÉSIR, MÊME PASSAGÈRE, ME PÉTRIFIAIT. QUAND C'ÉTAIT MOI QUI N'AVAIS PAS ENVIE, MÊME LE TEMPS D'UNE SOIRÉE, J'ÉTAIS ENCORE PLUS TERRIFIÉE.

LA CHANTEUSE POMME DÉCRIT TRÈS BIEN L'ANXIÉTÉ DANS UNE CHANSON :

« LÀ SUR TA POITRINE JE COGNE POUR T'ABÎMER / QUAND TU ME DEVINES J'ESSAIE DE RÉSISTER / TU APPRENDS, TU APPRENDRAS, JE SENS TON CŒUR / TU COMPRENDS, TU COMPRENDRAS COMMENT T'Y FAIRE / JE SUIS CELLE QU'ON NE VOIT PAS / JE SUIS CELLE QU'ON N'ENTEND PAS / JE SUIS CACHÉE AU BORD DES LARMES / JE SUIS LA REINE DES DRAMES. »

PARFOIS, EN JOUISSANT, J'AVAIS LA NAUSÉE. ET TOUJOURS
CES MAUX DE VENTRE, QUI RÉAPPARAISSAIENT MOMENTANÉMENT.

ET D'UN COUP, ÇA M'EST APPARU : SÉBASTIEN, MON PREMIER COPAIN,
NE M'A JAMAIS FORCÉE. MAIS MOI, JE ME SUIS FORCÉE. QUINZE ANS
PLUS TARD, J'AI TOUJOURS LE GOÛT DU DÉGOÛT DANS LA BOUCHE.

2017, PARIS, CHEZ L'HYPNOTHÉRAPEUTE.

MAINTENANT, J'AIMERAIS QUE VOUS REMONTIEZ DANS VOS SOUVENIRS. SOUVENEZ-VOUS DE LA PREMIÈRE FOIS OÙ VOUS VOUS ÊTES SENTIE MAL À L'AISE, NUE, EN PRÉSENCE D'UN GARÇON. SI VOUS AVEZ UN SOUVENIR QUI REMONTE, VOUS POUVEZ LE PARTAGER.

JE PENSE À SÉBASTIEN... ÇA... ÇA ME...

ET MAINTENANT QUE VOUS ÊTES PARFAITEMENT RELÂCHÉE, PENSEZ À UN ESPACE DANS LEQUEL VOUS VOUDRIEZ ÊTRE. PENSEZ-Y LONGUEMENT. VOUS ÊTES DANS CE LIEU, EN SÉCURITÉ.

VOUS LE PERCEVEZ OÙ DANS VOTRE CORPS ?

COMMENT VOUS VOUS SENTEZ ?

J'AI ENVIE DE VOMIR... C'EST COMME SI...

COMME SI JE M'ÉTAIS VIOLÉE MOI-MÊME...

DANS LE MERVEILLEUX LIVRE « L'EMPREINTE »*, ALEXANDRIA MARZANO-LESNEVICH ÉCRIT : « L'ESPRIT SE SOUVIENT. L'ESPRIT MÉLANGE TOUT. TOUT SE RÉPÈTE ».

*« L'EMPREINTE », D'ALEXANDRIA MARZANO-LESNEVICH, SONATINE ÉDITIONS.

MAINTENANT, VOUS ALLEZ REVENIR À MOI...

3, VOUS POUVEZ COMMENCER À BOUGER LES JAMBES, LES BRAS...

2, VOUS POUVEZ BÂILLER...

1, VOUS OUVREZ LES YEUX.

BON. C'EST NORMAL QUE VOTRE DÉSIR SOIT TROUBLÉ, IL A LONGTEMPS ÉTÉ MALMENÉ.

JE... JE M'EN VEUX TELLEMENT DE M'ÊTRE AUTANT FORCÉE.

JE COMPRENDS PAS COMMENT J'AI PU ME FAIRE AUTANT DE MAL.

C'EST TROP FACILE DE VOUS REGARDER AUJOURD'HUI AVEC CE QUE VOUS AVEZ APPRIS EN QUINZE ANS. À CE MOMENT-LÀ, C'EST CE QUI VOUS SEMBLAIT LE PLUS JUSTE, LE MIEUX POUR VOUS.

VOUS JUGER AUJOURD'HUI N'A AUCUN SENS.

LE « COMING IN » A-T-IL UNE FIN ?
LE « COMING OUT », C'EST UN OU PLUSIEURS
MOMENTS PRÉCIS ; MAIS LE COMING IN, LE FAIT DE
SE DIRE À SOI-MÊME QUE L'ON EST HOMOSEXUEL(LE) ?

IL N'Y A PAS UN JOUR OÙ L'ON SE RÉVEILLE HOMOSEXUEL(LE).
IL N'Y A PAS UN JOUR OÙ L'ON RESSUSCITE ET, ÇA Y EST,
TOUTE NOTRE SOUFFRANCE S'EST VOLATILISÉE POUR TOUJOURS.

ÉTÉ 2020, MAYENNE.

MAINTENANT QUE J'Y REPENSE, JE SAIS PLUS SI JE T'AI DÉJÀ DIT ÇA, MAIS JE ME DEMANDE SI TU N'ÉTAIS PAS DÉJÀ ATTIRÉE PAR LES FILLES, PETITE.

ET, AU FOND DE MOI, JE CONTINUE À ME DEMANDER SI J'AI TOUJOURS ÉTÉ HOMOSEXUELLE, SI JE SUIS NÉE AVEC CE DÉSIR.

MÊME ENFANT, TU ÉTAIS SURTOUT EN ADMIRATION DEVANT D'AUTRES FEMMES.

AH BON ?

OUI, ET MÊME PLUS TARD : QUAND TU PARTAIS EN COLO, TU TE FAISAIS DES AMIES, DIFFÉRENTES CHAQUE ÉTÉ.

QUAND TU AS EU, JE SAIS PAS, 18 OU 19 ANS, TU T'ES RENDU COMPTE QUE PLUSIEURS DE CES AMIES ÉTAIENT HOMOS.

130

JE SUIS ENCORE, PLUS DE DIX ANS APRÈS MON COMING OUT, EN TRAIN DE COMPRENDRE MA SEXUALITÉ. D'Y METTRE DES MOTS, DES IMAGES, DE CONTINUER À M'INTERROGER. J'AI COMPRIS IL Y A PEU LES DÉTOURS QUE PRENNENT PARFOIS MES DÉSIRS.

ET, AU LOIN, J'ENTRAPERÇOIS D'AUTRES MONTAGNES. DEVENIR MÈRE, PAR EXEMPLE.

COMME VOUS, PROBABLEMENT, J'AI GRANDI DANS UNE FAMILLE HÉTÉRO ; JE N'AI AUCUN MODÈLE DE COUPLE DE FEMMES AVEC ENFANTS DANS MON ENTOURAGE (MIS À PART TINA ET BETTE DANS « THE L WORD », MAIS J'AI PAS LEURS NUMÉROS). ALORS... COMMENT SE REPRODUIRE SANS REPRODUIRE ?

QUE RESSENTIRA CET ENFANT ?
QUELLES QUESTIONS SE
POSERA-T-IL ? SERAI-JE UNE
MÈRE COMME LES AUTRES ?
COMMENT CRÉER UN AUTRE
SCHÉMA ? QUE FAIT-ON,
TOUS, POUR COCHER DES
CASES ? POUR PLAIRE ?
COMMENT SAIT-ON QUE L'ON
FAIT CE QUE L'ON DÉSIRE
VRAIMENT ?

CE N'EST PAS ENCORE LA FIN DU
CHEMINEMENT. MAIS JE VOUS L'ÉCRIS
EN SOURIANT : JE SUIS INCROYABLEMENT
HEUREUSE, AUJOURD'HUI, DANS CETTE
VIE DE FEMME HOMOSEXUELLE. J'ADORE
ÊTRE LESBIENNE. IL Y A QUELQUE CHOSE
DE REPOSANT À AIMER UNE FEMME.
ET PLUS ENCORE : JE ME SENS FIÈRE,
ÉPANOUIE, ÉQUILIBRÉE.

CETTE PLAGE AURAIT
PU ÊTRE UNE FIN (EN SOI).

SAUF QU'UN COPAIN M'A UN JOUR ÉCRIT :
« RIEN N'EST TRACÉ DANS LA VIE* ».

* APPAREMMENT, MÊME
QUAND ON EST HOMO**.

** AH PARCE QU'ON
SERAIT COMME LES AUTRES ?!

MAI *2018*, PARIS.

ON VA PAS SE MENTIR, ÉLO, C'EST LA MERDE.

JE VOUS PRÉVIENS, JE NE SAIS PAS SI VOUS ALLEZ ME CROIRE.

QUOI ?!

MAIS LE CLICHÉ !

SÉRIEUSEMENT, ÉLO ?

HONNÊTEMENT, JE COMPRENDS PAS.

DE TOUTE FAÇON, JE M'EN SUIS TOUJOURS DOUTÉE.

...

MAIS NON ? MAIS C'EST DINGUE !

HAHAHAHA, MEILLEURE HISTOIRE EVER.

JE M'ÉTAIS JURÉ, CROIX DE BOIS, CROIX DE FER, QUE JE NE LA REVERRAIS PLUS. MAIS... FIGUREZ-VOUS QUE J'AI ENCORE RÊVÉ D'ELLE.

FIN 2018.

COMME ELLE !

QU'EST-CE QUE JE VOUS SERS ?

ARRÊTE, JE LE SAIS QUE J'AI PRIS 10 KILOS.

NON, T'ES TRÈS BIEN. T'ES TOUJOURS AUSSI BIEN.

CÉLIBATAIRES AU MÊME MOMENT, INSCRITES SUR LA MÊME APPLI DE RENCONTRE. UN SOIR, MAËLLE EST TOMBÉE SUR MON PROFIL. ET M'A ENVOYÉ UN TEXTO.

MAËLLE ! WOO... T'AS PAS CHANGÉ !

TOI NON PLUS !

HUIT ANS QU'ON NE S'ÉTAIT PAS VUES, HUIT ANS : TROIS TEXTOS, DEUX MAILS, AUCUN « ÇA VA ? ».

HUIT ANS PLUS TARD, NOUS ÉTIONS TOUJOURS AUTANT ATTIRÉES L'UNE PAR L'AUTRE.

COMME SI L'AMOUR NE S'ÉTAIT JAMAIS TOTALEMENT
ÉTEINT*. CETTE FOIS, PLUS RIEN NE S'OPPOSE À LA NUIT.

* JE ME RENDS BIEN COMPTE QUE CETTE FIN TERRIFIE TOUS CEUX QUI ONT
UN DOSSIER À RÉGLER AVEC LEUR EX. VEUILLEZ M'EXCUSER POUR LA GÊNE OCCASIONNÉE.

PLAYLIST

Black Eyed Peas – « I Gotta Feeling »
Madonna – « American Life »
Michel Sardou – « Les Lacs du Connemara »
Francis Cabrel – « Petite Marie »
La rue kétanou – « Y a des cigales dans la fourmilière »
M – « C'est pas ta faute »
Nancy Sinatra – « Bang Bang », B.O. de *Kill Bill*
Pierre Bachelet – « Les Corons »
MAP – « Dégage »
Shakira – « Waka Waka »
Anne Sylvestre – « Sur mon chemin de mots »
Pomme – « Anxiété »

Et, évidemment :
Céline Dion – « On ne change pas »
Amel Bent – « Ma philosophie »

REMERCIEMENTS

J'ai longtemps hésité à transformer mon podcast audio, *Coming In*, diffusé sur ARTE Radio en mai 2017, en un roman graphique. Déjà, en 2017, je m'étais posé la question : cela a-t-il encore un sens de raconter l'acceptation de son homosexualité ? N'est-ce pas une problématique d'un ancien temps, maintenant que les moins de 20 ans semblent mieux vivre leur amour pour quelqu'un du même sexe ?
Je n'ai aucune réponse, évidemment, et je ne souhaite que ça : que ce roman graphique soit caduque, qu'il raconte une société qui a déjà évolué.

Mais, à la sortie du podcast, j'ai reçu des centaines et des centaines de messages ; certains racontaient leur *coming in* à eux ; d'autres étaient des parents d'homosexuels ; certains s'acceptaient depuis longtemps mais étaient touchés d'écouter quelque chose qui ressemblait, de près ou de loin, à leur parcours de vie. En lisant tous ces mots, j'ai pensé que oui, il fallait encore raconter cette histoire. C'est vous, tous ceux qui m'avez écrit pour me parler de vos *coming in* et *out*, que je voudrais d'abord remercier pour cet incroyable cadeau. Vos mots et vos écoutes ont changé ma vie.

Je remercie bien évidemment Carole Maurel, ce projet ne pouvait se faire qu'avec toi. Merci aux deux éditrices, Laure-Hélène Accaoui et Isabelle Pailler, quelle fierté que *Coming In* renaisse sous vos deux bannières, Payot Graphic et ARTE Éditions. Laure-Hélène, tu as bien fait d'y croire pour nous deux !
Et je remercie toute l'équipe d'ARTE Radio qui a permis à *Coming In* d'exister sous sa forme initiale : Silvain Gire, Arnaud Forest, Sara Monimart, Chloé Assous-Plunian, Samuel Hirsch.

Merci à mes parents, Nicole et Jean-Claude, et à toutes mes amies qui ont si tendrement accompagné ce cheminement. Un merci particulier à Fanny, le deuil de l'hétérosexualité, fallait le trouver !

Une pensée pour ce monsieur qui, un jour, m'a dit en souriant : « Élodie Font ? Vous avez le nom d'un caractère d'imprimerie, vous devriez écrire. »

Et surtout je pense à toi, mon tout, ma reine, ô grand amour de ma vie.

Élodie Font

Un grand merci à Élodie qui m'a confié son récit et qui a eu la patience de m'attendre, c'est un véritable privilège d'avoir pu travailler sur l'adaptation de ce podcast qui m'avait touchée dès la première écoute.

Merci à Laure-Hélène, à Marie, aux équipes de Payot Graphic pour leurs conseils, ainsi qu'à Isabelle et ARTE Éditions pour leur accompagnement et leur écoute.

À Marion, à mes parents.

Carole Maurel

 IMPRIM'VERT®

Achevé d'imprimer
en septembre 2021
par Corlet Imprimeur
14110 Condé-en-Normandie
Dépôt légal : septembre 2021
N° d'imprimeur : 2106.0089
Imprimé en France